C0-ARA-243

BIBLIOTHEQUE PUBLIQUE
WITHDRAWN
DE WINNIPEG

QUAND IL NEIGE...

par Phillis Gershator

Illustrations de Martin Matje

ALBIN MICHEL JEUNESSE

Pour la présente édition : © 1999,
Albin Michel Jeunesse 22, rue Huyghens, 75014 Paris
Dépôt légal second semestre 1999 N° d'édition : 11 560
ISBN : 2 226 10182 9
Imprimé et relié par Pollina, n° 77760

Traduction Élisabeth Guinsbourg

Pour Holly, Megan,
David, et Christy
—P.G.

Pour Théophile
—M.M.

Toi, que fais-tu,
où vas-tu,
quand il neige dehors ?

Moi, je me faufile à l'intérieur,
dit la souris.
Le vent souffle froid et fort,
quand il neige dehors.

Moi, je regarde
par la fenêtre,
dit le chat.
Mes yeux brillent
comme de l'or,
quand il neige dehors.

Moi, je veille,
dit le corbeau noir et lustré,

quand il neige dehors.

Moi, je cherche
des graines,
dit le moineau.
Pic, pic, picore
quand il neige dehors.

Et toi,
que fais-tu,
où vas-tu,
quand il neige dehors ?

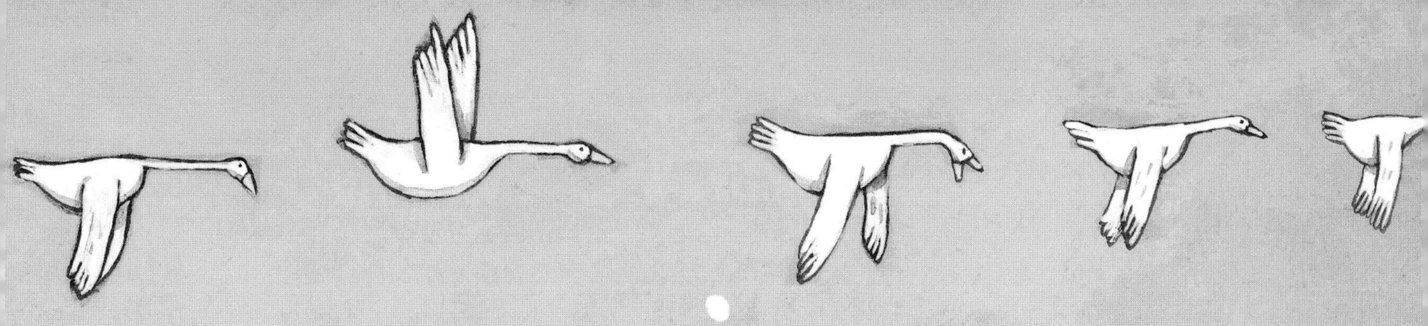

Nous, vers les îles nous nous envolons,
disent les oies sauvages,

quand il neige dehors.

Moi, je construis une hutte,
dit le castor.
Le travail est long.
Je taille, je ronge et je mords,
quand il neige dehors.

L'eau est fraîche, dit le poisson.
Moi, je suis mieux au fond.
Frttt, frttt, frttt,
quand il neige dehors.

Moi, je rentre dans la grange,
dit le cochon.
Il fait trop froid dans la fange,

quand il neige dehors.

Moi, j'attends
le fermier, dit la vache.
Il vient tirer
mon lait chaud.
Meuh, meuh, meuh,
quand il neige dehors.

Et toi, que fais-tu,
où vas-tu,
quand il neige dehors ?

Moi, je cache mes œufs,
dit la poule,
pour que mes poussins poussent bien.
Côt, côt, côt,
quand il neige dehors.

Moi, je me perche tout en haut,
dit le coq.
Écoutez mon Cocorico !
quand il neige dehors.

Moi, je reste où je suis,
dit le ver.
Il fait chaud sous la terre.
Je creuse, je creuse
et m'entortille,
quand il neige dehors.

Et toi, que fais-tu,
où vas-tu,
quand il neige dehors ?

Moi, je mets mon grand manteau,
dit l'hermine.
Toute vêtue de fourrure blanche,
je ressemble à une reine,
quand il neige dehors.

Moi, comme la tortue,
je plonge me cacher dans la vase,
dit la grenouille.
Blip, blip, blip,
quand il neige dehors.

Moi, je cherche un endroit
où la mousse et l'herbe poussent,
dit le cerf.
Je saute, je bondis, je cours,
quand il neige dehors.

Moi, je dévale la colline,
dit la loutre.
Sur le dos, je file, je glisse,
je dégringole,
quand il neige dehors.

Comme la neige est épaisse !
dit l'ours noir.
Moi, vite, vite,
je vais dormir tout de suite,
quand il neige dehors.

La chauve-souris gigote
dans sa grotte.
Le serpent se cache
sous son rocher.
Le raton laveur s'abrite
dans une souche.
L'écureuil grimpe à l'arbre.

La taupe creuse
dans sa galerie.
Le lapin saute
dans son terrier.
Le loup attend
dans sa tanière.
Le chipmunk se glisse dans son repaire.

Neige sur le toit,
Neige sur la terre,
Neige toute fraîche

qui tombe

et vole.

Moi, je préfère sortir
quand la neige veut jouer dehors.

Moi, la neige,
j'adore !